D1235333

Vivre près des tilleuls

L'AJAR

Vivre près des tilleuls

par Esther Montandon

roman

Flammarion

ISBN : 978-2-0813-8919-9

Avant-propos

Lorsque Esther Montandon m'a laissé la responsabilité de ses archives, en 1997, je me suis trouvé face à une masse de documents divers : cartes postales, pièces administratives, courriers, coupures de journaux... À quoi s'ajoutait le lot commun de tous les écrivains dont la recherche fait son miel : brouillons griffonnés épars, pages dactylographiées avec ou sans annotations autographes, et trois carnets de notes.

Reconnaissant de cette marque de confiance, je me suis attelé à la tâche avec un enthousiasme qui n'a cessé de décroître devant l'ampleur du travail. Même si la mort de l'auteure, l'année suivante, a ravivé un temps l'intérêt du public pour ses écrits, l'œuvre est peu à peu tombée dans l'oubli.

Cette production exigeante a parfois été jugée trop mince – Esther Montandon n'a publié que quatre livres de son vivant. On la réduit par ailleurs souvent au seul *Piano dans le noir* (1953), le premier et le plus connu de ses textes. C'est sous-estimer les richesses que recèlent ses trois autres ouvrages. Il n'y a qu'à relire *Bras de fer* (1959), portrait acide et jubilatoire d'une Suisse hésitant entre tradition et modernité, ou *Trois grands singes* (1970), nouvelles dans lesquelles l'auteure revendique son engagement féministe en dépeignant sans concessions une société patriarcale. Enfin, la gerbe de ses souvenirs d'enfance, magnifiquement nouée dans les fragments des *Imperdables* (1980), offre dans un style épuré un aperçu poétique et documentaire du Rwanda et de la Suisse des années 1930. En dehors de cela, il n'y a rien.

L'ensemble du fonds Esther-Montandon ne contient que la matière relative à son activité depuis le début des années 1960. Tout ce qui précède — cahiers, brouillons, manuscrits, projets en cours, dont atteste sa correspondance — a disparu dans l'autodafé qu'elle a commis à la suite de la mort accidentelle de sa fille Louise, le 3 avril 1960. De cette tragédie, inaugurant dix ans de silence éditorial dans la vie de l'auteure, on ne trouve trace ni dans *Trois grands singes* ni dans *Les Imperdables*. Jamais Esther Montandon n'a écrit sur la perte de sa fille. C'est du moins ce que l'on a longtemps cru.

Comment donc décrire mon émotion lorsqu'un matin d'hiver 2013, en mettant de l'ordre dans les cartons qu'elle m'avait confiés, je découvre une pochette étiquetée «factures», pochette que j'ai dû manipuler vingt fois sans jamais l'ouvrir – renfermant une petite liasse manuscrite.

Et tout est là, miraculeusement préservé.

Cela n'est pas un roman, pas même un ouvrage achevé, mais un recueil d'impressions, de faits, de pensées et de souvenirs. Une petite sociologie du deuil. On pourra gloser sur la survivance de ce manuscrit. Esther Montandon voulait-elle qu'on mette la main sur ces écrits intimes ?

Quoi qu'il en soit, l'analyse des fragments montre que la rédaction s'est probablement échelonnée entre le début de l'année 1956 (Louise est née le 4 octobre) et les deux ans qui suivent son décès, survenu le 3 avril 1960. Les feuillets n'étant pas numérotés, ni datés, ils ont été distribués pour la présente édition dans un ordre étudié pour faciliter la lecture. Comme de rigueur, toute mention entre crochets n'est pas de l'auteure.

Dans *Vivre près des tilleuls* – le titre n'a pas été choisi par Esther Montandon mais provient d'un fragment charnière –, la narration oscille entre le passé et le présent, sans qu'il soit possible d'établir avec certitude quels épisodes ont été écrits sur le vif ou rétrospectivement. Peu importe l'exactitude de la chronologie. Esther semble d'ailleurs traverser ces moments comme à tâtons dans le brouillard, se frayant un passage dans un dédale de réflexions personnelles et d'exigences sociales.

Y a-t-il moyen d'accueillir autre que soi dans une perte aussi irréparable? Les relations d'Esther avec Jacques, son époux, déjà marquées par la difficulté d'avoir un enfant, seront minées par le drame. Pourtant, malgré les divergences (le couple se sépare dans les années 1970), le divorce ne sera jamais prononcé. Le respect a remplacé l'amour.

Rien n'a été épargné à l'auteure. Il ne faudrait pas pour autant en conclure que la joie est absente de ces pages. Fidèle à elle-même et malgré la blessure, Esther Montandon module patiemment, et avec obstination, une douleur qui n'appartient qu'à elle. Définitivement tragique et éternellement heureux, transfiguré par l'écriture, le souvenir de Louise s'inscrit désormais pleinement dans la littérature.

Vincent KÖNIG,
Dépositaire des archives
Esther Montandon

1

Cela faisait près de dix ans. Près de dix ans que les dates de mes menstruations s'étalaient sur un tableau, dans la chambre à coucher. Dix ans que nous attendions avec anxiété les avis éclairés de tel médecin, de tel grand spécialiste à qui nous avions donné le pouvoir de décider si oui ou non notre enfant aurait le droit d'exister. Dix ans que nous appliquions régulièrement une nouvelle prescription de grand-mère à laquelle nous-mêmes ne croyions pas. Le sujet n'était plus évoqué frontalement depuis de longs mois. Jacques avait compris que le ramener dans la conversation entraînerait immanquablement un orage. Plus les échecs se multipliaient, plus nous nous éloignions. J'ai abandonné, lâché prise, j'ai commencé à faire le deuil de cet enfant qui ne naîtrait pas. Le médecin m'a dit plus tard que ce renoncement avait certainement facilité le miracle.

Mes yeux sont restés humides durant les quatre premiers mois. J'avais tellement espéré, désespéré, que je ne parvenais pas à prendre la mesure de cette attente. Je n'ai senti ni les nausées ni les maux de dos. Juste cet enfant qui grandissait déjà, la chaleur qui remplaçait le vide, le regard de Jacques qui osait à nouveau se poser sur moi. Je n'avais que trop attendu pour serrer ce bébé contre ma poitrine, et pourtant j'aurais voulu que ces moments se pro-longent encore dix ans.

2

M., un ancien camarade d'école de Jacques, est passé ce matin et a sorti un rabot de sa sacoche. Le berceau que nous lui avons acheté ne passait pas la porte de la petite chambre où l'enfant dormirait. Faut-il écrire *l'enfant*? Quoi d'autre? *Mon enfant* me semble encore trop irréel, *notre enfant* trop officiel. Certains jours les deux syllabes de ce mot que l'on ne cesse d'entendre et de prononcer me paraissent d'une étrangeté suspecte, qui en même temps me ravit.

M. a une barbe noire bien fournie, j'ai eu de la peine à déceler son expression pendant qu'il rabotait et ponçait le bois clair, un genou à terre, en silence, en soufflant un peu. Ce n'est que lorsqu'il a pris congé, quelques gouttes de sueur au front, et que j'ai plaisanté sur le fait que nous le rappellerions pour faire entrer la malle à jouets, que ses yeux ont souri.

On dit « attendre un enfant ». M. parti, c'est ce que j'ai fait. Je suis revenue dans la petite chambre, j'ai caressé le bois lisse du berceau désormais à sa place, et je me suis assise sur le fauteuil à haut dossier, les mains inconsciemment ramenées sur mon ventre. J'ai regardé la pièce, le berceau, la table et la bassine, la lampe, le mobile déjà suspendu, oscillant très doucement, tout cet équipement en attente dans le matin, absolument prêt, absolument inutile tant que la boule de vie sous mes mains n'aura pas éclos. À force de regarder ce mobile, cette lampe, cette table, cette bassine et ce berceau, paisibles, exotiques, j'ai éclaté de rire, galvanisée par la certitude que, d'ici peu, une existence encore insoupçonnée occuperait cet espace, le transformerait en monde vivant, d'une cohérence neuve.

3

Je me réveille parfois la nuit, la main sur mon ventre trop plat, flasque. J'ai presque oublié le poids de ma fille dans mes entrailles, mais je me souviens précisément de la première fois que je l'ai sentie. Et c'est ce premier contact, cette première caresse qui continue d'accompagner mes nuits blanches. Je me lève, regarde mon corps nu dans la glace et j'y vois le vide qui a remplacé la rondeur. Cette rondeur que j'avais adoptée volontiers, qui me valait des exclamations polies et déclenchait chez Jacques un désir inattendu.

J'ai aimé être enceinte parce que, pour la première fois, j'avais le droit d'être vulnérable. Et plus rien d'autre n'avait d'importance. Il n'y avait que mon corps et le sien, qui grandissait sans bruit.

Je regarde la Savoie disparaître derrière une couronne de nuages. La fin du jour n'est pas forcément nostalgique. Elle était douce lorsque, impatiente de rencontrer bientôt mon enfant, je marchais sur les quais le ventre en avant, que j'attirais les regards. Elle était douce lorsque j'attendais le sommeil, ne parvenant pas à trouver de position confortable, guettant le coup de pied de mon bébé et riant lorsqu'il avait le hoquet et que mon ventre roulait, élastique, sous les contorsions. Elle était douce aussi parce qu'elle annonçait le temps qui passe, les enfants qui grandissent.

4

Elles m'avaient dit la douleur, comme on répand la menace pour mieux la conjurer. Elles m'avaient conté la douceur, sans vraiment la nommer. Elles avaient commenté l'attente, l'impatience, la lourdeur. Je les avais écoutées sans les croire, ne voulant rien imaginer, persuadée que pour moi, tout serait différent. Rien n'a été différent mais c'était mon histoire. Elles parlaient d'amour intense et immédiat, de symbiose et d'instinct. J'ai eu l'impression – dans la sueur, la lutte, les odeurs de corps et de vie – d'une rencontre entre deux animaux. L'un, sans défense, devant tout apprendre à l'autre. J'étais celle qui ne savait rien, elle était celle qui savait tout, mais nous ne parlions pas le même langage.

Je l'ai rencontrée dans cet effort intense. Je l'ai expulsée, la douleur comme une amie intime me soufflant l'importance de l'instant. Sans peur, ancrée dans la terre et le sang, transportée au-delà de toute raison, j'ai mis au monde cette inconnue, cette étrange créature que je regardais sans comprendre. Posée sur mon sein, elle s'est laissé faire, nous nous sommes dessiné un lien, petit à petit nous apprivoisant, nous cherchant. Je sais avoir vu Jacques sourire, pleurer, je voulais l'inclure dans notre tableau balbutiant, mais je ne parvenais pas à le visualiser vraiment. J'en ai exclu les infirmières qui, sévèrement, me tendaient des biberons stériles et emmitouflaient Louise dans des couvertures. Je créais notre nouvelle vie dans l'instant, dans la seconde, dans le souffle rapide de ce petit être, et je ne voulais l'aide de personne. Pas même de Jacques. Mon corps portait seul les traces de cette naissance, de ce miracle et, alors qu'il en rejetait encore les restes, j'ai vu l'amour faire son apparition.

5

Jour après jour je reprends des forces et Louise
devient Louise.

6

Jacques tient Louise au bout de ses bras tendus, couché sur le dos, à côté de moi dans le lit. Il la fait voler au-dessus de son visage dans un bruit d'avion à réaction. Elle ferme les yeux de bonheur, crie quand elle quitte pour un instant les grandes mains de Jacques pour s'approcher du plafond, éclate de rire quand il la rattrape. Ça fait de grands « Ouplà ! Ouplà-là ! Ouplà-là-là ! ». Le clocher sonne 10 heures, les langes de Louise n'ont pas encore été changés. Jacques est allé la chercher dans son lit pendant que je dormais et il me l'a déposée sur la poitrine pour me réveiller.

Aujourd'hui, en l'écrivant, c'est surtout l'odeur qui me revient. J'aurais préféré qu'elle sente bon. Jacques lui avait simplement passé une robe sans prendre le soin de la changer. Louise sautait au plafond et Jacques continuait à faire tournoyer cette odeur aigre-douce. J'étais allée ouvrir la fenêtre, un peu énervée. Jacques m'avait appelée, je m'étais retournée, il avait fait mine de me lancer la petite. J'avais sursauté, mis ma main à la bouche et je m'étais mise à rire. J'avais repris Louise dans mes bras et l'avais assise sur le visage de Jacques. Il hurlait au supplice. Nous ne pouvions plus nous arrêter de rire et Louise s'était mise à pleurer. C'était un dimanche. Je m'en souviens parce que Louise portait sa robe jaune à collerette et que les volées de cloches remplissaient toute la chambre.

7

Ça ne se passe pas d'un seul coup. Il s'agit d'un processus. Un matin, je la vois qui cesse de vouloir ramper, qui s'agrippe aux objets les plus bas. Au pied du lit, aux gros boutons dorés des tiroirs de la commode. Aux chaussettes de Jacques, qui en lâche son journal. Les petits muscles de sa nuque s'étirent, elle regarde les lustres, elle a le front dressé vers le ciel, les yeux remplis de lumière. Un désir de hauteur. Les semaines qui suivent, je l'accompagne de mes deux mains dans toute la maison. Elle se sert de moi comme d'un parachute. Je lui fais parcourir les catelles de la cuisine et ses pieds nus laissent de minuscules traces, qui s'effacent presque instantanément. Elle se dresse de toute sa force contre le mur, remuant les fesses de haut en bas.

Louise a dit ses premiers mots avant de se décider à marcher. C'est, paraît-il, le signe de personnalités sociables. Comment le saurons-nous ?

À sept mois, elle sait imiter le miaulement du chat, le cri du singe et celui de la chouette. Son premier mot, à dix mois, est « Jacques ». Pas « papa », Jacques. Dit très sérieusement, après un yaourt à la fraise et le rot habituel. Il n'était même pas là, je ne le lui ai jamais dit. Assez vite, elle apprend d'autres noms, dont ce « maman » que je m'entête à lui faire répéter et que Jacques croit être sa première parole. Mais les semaines suivantes, le nom qu'elle prononce le plus souvent, c'est bien le sien : « Jacques ». Il en retire une certaine fierté. Les yeux froncés, le regard comme des billes noires, elle répète le nom en battant des mains, assise sur une couverture au milieu de son parc, dans son lit, dans le bain, dans mes bras. Elle ne commence à dire « papa » qu'au moment où elle sait déjà marcher, deux mois plus tard. La première année, c'est à peine s'il la porte. C'est elle qui vient vers lui. Je les revois s'éloigner, main dans la main, faisant le tour de la maison et apprenant le nom des arbres et des fleurs. Hêtre, noisetier, sureau, tulipe, pâquerette, primevère. Elle, si petite, la pointe des pieds tendue quand il la fait voler dans l'herbe autour de *[le feuillet suivant manque]*

23

8

Louise voulait une poupée noire. Effaré par cette lubie, Jacques lui a présenté Nadine, un joli brin de fille aux cheveux blonds, aux pommettes roses et aux yeux bleu acier. Louise ne lui a accordé qu'un regard méprisant, elle voulait une poupée noire. Jacques a fini par céder et, le soir de Noël, dans le salon de mon enfance, Louise a arraché avec avidité le papier qui enveloppait le petit corps de celle qu'elle a immédiatement baptisée Alice.

Chaque matin, je me postais devant la fenêtre qu'affleurait la frondaison tendre des marronniers. Face à cette mer verte et agitée, j'observais, l'air de rien, les silhouettes morcelées de Louise et de sa poupée dans le reflet de la vitre. Louise dressait la table pour le thé. Elle disposait les napperons, les tasses en argent, les minuscules cuillers, avec une minutie qui me faisait penser à maman.

Le soir, avant de s'endormir, Louise racontait d'un ton professoral des histoires à sa poupée. Jacques et moi l'épiions depuis l'embrasure de la porte. Elle brodait autour des péripéties de Chagrin le chat ou de Panache l'écureuil. Elle réinventait l'Afrique, la brousse, les lions affamés, les récits du Rwanda de mon enfance. Elle s'endormait dans un souffle, ses bras potelés enserrant la poitrine d'Alice.

9

La mère et la fille sur le sofa du salon. Depuis le couloir, j'observe Louise, Louise et sa poupée, son enfant aux yeux noirs, à qui elle porte tous ses soins. Jamais on n'a vu tas de chiffon aussi cajolé. Je m'extasie de ces manières que ma fille a prises de moi, de cette tendresse qu'elle a bien dû y trouver et qu'elle me rend comme ça, indirectement. Ses sourcils se froncent.

« Alice, finis ton chou-fleur. » Elle remet ses cheveux frisés en place avec mes gestes et, avec mes intonations, continue de gronder doucement sa poupée.

« Alice, si tu ne finis pas ton chou-fleur, je vais chercher ton père. » Sa poupée n'en a pas, pas que je sache. Mais Louise lui en invente un. Dans sa réalité, pas de place pour les âmes esseulées. Au facteur âgé, au voisin vieux garçon, au cousin juste pubère, elle demande où est sa femme, où sont ses enfants.

« Je t'aurais prévenue, Alice. » La poupée est retournée sur les genoux de Louise et encaisse sans broncher des salves de fessées. Les enfants sont cruels, ils ont besoin de notre amour pour s'adoucir, pour apprendre l'altérité. Louise la tendre, la dure, la tendre dure Louise. Qui mord parfois de ses dents de lait, parfois dit « je t'aime » à ses parents.

10

Je suis à la cuisine. Je pèle des pommes de terre pour le souper, sifflotant une comptine. Je tends l'oreille. Le silence me fait presque sursauter. Louise, d'ordinaire, emplit toute la maison. Je ne l'entends plus. Je n'entends ni ses gazouillements, ni ses chants, ni les répliques de ses jeux d'enfant, ni même ses petits pas qui courent sur le parquet. Pas un souffle. Je pose ma pomme de terre, essuie mes mains sur le tablier blanc et quitte la cuisine. Je suis d'abord intriguée. Je passe la tête par la porte de sa chambre. La panique me domine maintenant totalement. Il lui est arrivé quelque chose. Elle est sortie, s'est fait enlever ou renverser par une voiture. À moins que je ne la retrouve dans un coin de la maison, assommée ou étouffée par l'un de ses jouets. Je pleure déjà, appelle, hurle. Et puis je l'entends. C'est un gloussement qui sort de sous le petit lit.

Les yeux de Louise s'arrondissent d'incompré-hension lorsque je la tire de sa cachette par le bras et abats sur elle des cris que je regrette aussitôt. Elle fond en larmes. Je la serre contre moi à l'étouffer et la berce doucement.

11

Le corps d'une fillette, c'est ce que j'ai pu voir de plus beau. Et de plus intolérable. Ses boucles châtaigne, où j'aimais passer la main. Son nez minuscule, qu'elle avait en commun avec tous les enfants de son âge. Sa tête indolente, qu'elle balançait, légèrement penchée vers l'avant, pour dire non. Un non devant lequel on ne pouvait que céder. Ses bras dodus, ses jambes boudinées qui pendaient du haut tabouret. Petit être bien en chair. Caresse de sa peau, odeur de sa peau, rose laiteux de Louise. Je revois ses mains maladroites, ses sourcils froncés, ceux du marionnettiste qui cherche à démêler les fils, à coordonner les mouvements.

Nous lui avions offert ce Pinocchio, que d'un geste elle avait écarté de ses jolies poupées, le laissant tomber sur la moquette vert tendre. Le pantin gisait là, désarticulé. Sa posture, l'angle aléatoire de ses bras, avait quelque chose d'inhumain, malaise augmenté par son regard figé, incrédulité vernie sur le bois.

12

Ils viennent de l'emmener. Jacques est assis en face de moi. Le silence bourdonne partout autour de nous.

Il faudrait que j'appelle mes sœurs. Agathe, d'abord.

13

Le téléphone sur les genoux, je prépare mon texte. Maman, Louise a eu un accident cet après-midi. Elle est morte. Maman, j'ai une terrible nouvelle. C'est Louise, elle a eu un accident. Maman, Louise est tombée. On n'a rien pu faire. Écoute maman, ta petite-fille a fait une grave chute. Elle est morte. Louise est morte. Morte. Morte. Je répète le mot vingt fois dans ma tête. Je veux lui faire perdre son sens, le réduire à une syllabe creuse. Morte. Louise est morte. Je prends le combiné. Je compose le numéro. Je tombe sur mon père et réalise qu'il y a longtemps qu'on a incinéré maman.

14

Je me souviens de ma propre enfance. Je me souviens des folles descentes en luge à La Chaux-de-Fonds avec mes sœurs, des habits du dimanche maculés de boue, des collections d'escargots, des rêves et des projets. L'enfance, c'est croire que la vie ne s'arrêtera jamais. Peut-être que je le croyais encore lorsque j'imaginais tout ce que je ferais avec Louise, tout ce que je voulais lui montrer. J'ai toujours dit qu'un jour j'emmènerais ma fille faire de la luge à La Chaux-de-Fonds. J'ai toujours cru que j'aurais tout le temps.

15

En ouvrant le journal, on apprendrait la mort d'une Louise. On ne pourrait éprouver de vrai chagrin. Des paires d'yeux passeraient en revue les prénoms et noms de famille, on ferait des liens, on tenterait de reconstituer une généalogie. Cela évoquerait peut-être des souvenirs, mais que saurait-on de ma Louise? On apercevrait, accolées, la date de la naissance et celle de la mort. On serait alors pris de compassion pour la mère. On lirait «Louise» et on penserait aussitôt à la mère, derrière.

16

Une amie est avec moi dans la pièce. Elle n'ose pas m'approcher, elle a peur de la contagion. Dans mon dos, elle murmure des conseils. Nous nous tenons debout devant mon lit, où sont disposées dix petites robes, dix motifs différents. C'est un étalement de couleurs. J'attrape celle qui est la plus proche de mes mains, la bleue à pois blancs. L'amie dit que c'est une robe rigolote. «C'est une robe rigolote», je répète en contrefaisant sa voix. L'amie est mal à l'aise, j'espère qu'elle va discrètement s'en aller. Mais l'amie ne veut pas me laisser seule. Chaque phrase qu'elle prononce commence par mon prénom, chaque phrase est inquiète. J'ai envie de lui tirer les cheveux, de la faire pleurer. L'amie dira à ses autres amies qu'elle m'a aidée pour la robe, elle prendra un air grave et important. Je n'ai pas besoin d'aide.

Elle respire par la bouche, toujours derrière moi, et me propose un verre d'eau, une chaise. Je montre la robe rouge brique, ses manches bleu foncé. Celle que Louise portait la seule fois où nous sommes allés au cirque. Ce sera celle-ci. L'amie me félicite pour cette décision : « La robe est charmante. »

17

J'ai cru que cela prendrait des mois, des années, que cela ne reviendrait jamais. J'avais tort.

Lorsque l'impensable survient, Louise n'est même pas enterrée. Elle repose dans son petit cercueil, à la chapelle. Je ne suis pas encore allée la voir, cela se passe juste avant. Je sors de chez moi et remonte la rue Voltaire en direction du parc de Milan. Le printemps allume les arbres et je porte comme un cilice mon identité de mère en deuil. Je marche dans la ville pour aller à la rencontre du cadavre de mon enfant.

Et c'est pourtant là que cela arrive, brutalement. Je cherche encore à en retrouver la cause. Est-ce dû à un animal, à l'un des chats du quartier qui me regarde, hautain sur ses petites pattes fourrées ? À un oiseau qui sautille maladroitement ? Ou simplement à un passant ? Ou alors est-ce de moi que cela vient, d'une partie enfouie, inexplicablement intacte ?

Je ne saurai jamais comment cela est arrivé. Mais ce jour-là, en me rendant à la chapelle, en pleine rue, mes lèvres se déchirent. Un sourire.

18

Je ne crois pas avoir dit que je voulais des fleurs. On m'a dit qu'il fallait des fleurs. Il y a des observances en la matière, des prescriptions, comme en toute chose.

J'ai emmené mon père, qui connaît les usages. Il sait la limite entre le bon goût et l'audace (si tant est qu'on puisse être audacieux pour l'occasion), entre le minimum dont on ne peut se dispenser sous peine d'être traité de radin, et la volonté de noyer son chagrin. Puisqu'il faut des fleurs, autant recouvrir ma petite en entier. Y mettre toutes les couleurs, la gribouiller. Lui rendre le monde qu'elle barbouillait sur du papier.

J'explique à la fleuriste que je souhaite mélanger toutes les essences, tous les tons. Elle me jette un coup d'œil effaré. Elle veut me conseiller, elle connaît son métier. Je réponds rudement que je connais ma fille.

Mon père m'écarte par le bras. Ils se mettent d'accord pour quelque chose de blanc, de virginal. Louise n'aura pas droit aux couleurs. Je ne proteste pas, j'ai emmené mon père pour qu'il me dise ce qu'il fallait faire, je ne lui reprocherai pas de prendre les choses en main.

Va pour des roses, des lys et quelques callas. Tout cela coûte bien cher. Si l'on veut être modeste, soyons-le carrément : des marguerites feraient l'affaire. Je le dis à la fleuriste au moment de payer. Mon père : « Les marguerites ne sont pas des fleurs sérieuses. »

19

Je choisis avec soin une paire de boucles d'oreilles, me décide, puis les repose. Je crois bien que ce sont celles-là que Louise avait dérobées un jour dans ma boîte à bijoux pour «jouer à maman», barbouillée de rouge à lèvres. À bien y réfléchir, je préfère me passer de bijoux. J'aimerais faire de même avec le maquillage, mais un bref coup d'œil dans le miroir me convainc du contraire. Je n'ai jamais vu le visage qui s'y reflète. Les veines bleues sous les yeux rouges, la peau creusée, la vieillesse soudaine. Je passe consciencieusement un peu de fond de teint et de poudre rouge sur mes joues. Souligne légèrement de noir mes paupières. Passe une petite brosse à mascara sur mes cils. Tout juste avoir l'air vivante

20

Le pasteur chuinte.

21

Ce soir, Louise dort en terre.

Ce sera le cas pour tous les soirs à venir. Toutes les nuits du monde.

Je le consigne ici. Cela ne change rien. Il le faut.

22

Mon père y croit et j'y ai cru. J'ai appris mes prières et je les ai remâchées jusqu'au trognon, ce goût amer de l'habitude. Il a toujours été impensable de manquer aux célébrations de Pâques ou de Noël. Au Lundi du Jeûne. Le culte du dimanche était incontournable. J'ai usé mes fonds de culotte sur les bancs des temples, où je passais mes doigts sur les nœuds du bois. Je rêvais de festons fleurissant sur la croix, je n'ai pas toujours été une fidèle attentive.

Plus tard, j'aurais préféré jouir de toute cette création tant vantée, aller me baigner, aller patiner, aller trouver mes amoureux, aller à la ville. Soif de liberté tout adolescente. Mais on ne contrarie pas si facilement l'ordre établi, les grandes transgressions sont plus vite oubliées que les petites car il n'y a rien à pardonner dans celles-là. Celles-ci remettent en cause votre éducation.

J'ai hérité consciemment de cette rigueur. De la foi, en revanche, ne sont restés que des rituels plus ou moins chers à mon cœur et plus ou moins pénibles. Tout cela a formé un cadre de vie dans lequel j'ai longtemps tenu Ton existence pour acquise. Sans y penser. Je me suis livrée à de petits accommodements. Les soirs de fatigue, je n'ai plus prié avant de m'endormir. Je ne T'ai plus recommandé personne. Devais-Tu pour autant ne plus veiller sur nous ?

Elle est tombée, mon Dieu. Elle est tombée et *[biffé : Tu]* tu ne l'as pas retenue.

23

Je suis un convoi funèbre à moi toute seule. Je marche sur les traces du corbillard qui a pris cette rue il y a trois jours. Trois jours, voilà le temps qu'il m'a fallu pour trouver en moi la force de refaire ce chemin de croix. Ici Jésus est tombé, là on lui a essuyé le visage. Ici Louise s'est égratigné le genou, là elle a taché sa jolie robe. À ce carrefour, je l'ai aidée à se relever. Je refais toutes les étapes. Pour mieux sentir ma douleur, pour mieux la concrétiser, j'avancerais presque à genoux, au milieu de la chaussée. Mais les automobilistes, s'ils respectent les morts, ne voient pas les fantômes.

Un dernier contour et j'atteins la grille du cimetière. J'évolue entre les pierres moussues, comme une géante dans une ville morte. Ses habitants dorment, leurs épitaphes pour seules enseignes. Je n'en regarde aucune, obsédée par celle que j'ai écrite. Ici repose Louise Montandon (1956-1960), notre fille bien-aimée.

Jamais ma vue n'a porté si loin. À travers les allées, à travers les branches des tilleuls, je vois cette tombe, plus petite que les autres, ces mots si maladroits pour exprimer mon incrédulité, ces dates si douloureusement rapprochées, ces fleurs fanées que je remplace mécaniquement. M'y voilà.

24

Je pars faire les courses. « Jacques, je pars faire les courses. » Je le dis en coup de vent, je le mentionne, comme si tout était normal. Jacques d'ailleurs ne s'en étonne pas. Je m'apprête à refermer la porte derrière moi lorsqu'il surgit. Il veut des asperges. Je n'ai pas fait de liste, j'ai peur d'oublier alors je croise les doigts pendant tout le trajet, pour ne pas revenir sans asperges.

Le magasin est petit et les allées étroites. J'erre d'un rayon à l'autre sans regarder les articles. Je me sens bien dans cette Migros de quartier déserte. Un vieillard m'informe que le prix du beurre a exagérément augmenté depuis un mois. Je secoue la tête, je dis que c'est terrible. Nous nous sourions en affirmant cela. Je reprends mon exploration et tombe sur un pot de confiture de framboises, je le mets dans le panier. J'ajoute un kilo de sucre et deux kilos de pommes. Tout cela me paraît suffisant.

Lorsque je sors du magasin, je suis fière de moi. Je balance mon petit butin à bout de bras. Le soleil me chauffe la nuque. Je n'ai pas quitté l'appartement depuis six jours, je n'ai pas vu le printemps éclore.

25

Le seul moyen est de décomposer les gestes.

Le premier geste à accomplir est d'avancer dans le couloir. Je ne m'étais jamais aventurée si loin. Le couloir est long, en hiver le soleil bas enfonce à l'horizontale ses rayons froids, qui griffent les murs. Je m'avance et je compte les portes : la salle de bains, à gauche, le bureau de Jacques, à droite, notre chambre, à droite, et puis. C'est à gauche.

Le deuxième geste à accomplir est d'approcher la main. Il faut la tendre jusqu'à toucher la poignée en métal. C'est glacé. Elle n'a pas été actionnée depuis. J'ouvre, et tout de suite il y a l'odeur, l'humide, l'empoussiéré, quelque chose de suave, d'âcre et de doux. Il fait frais. La chambre est devenue une forêt. Les volets ont été fermés (je ne le savais même pas). Le geste suivant est donc de s'avancer jusqu'à la fenêtre. Je m'oriente de mémoire. Je ne renverse pas la chaise, je ne me cogne pas au lit, j'anticipe le passage du parquet au tapis, ce moment où la semelle cesse son léger patinage et vient buter dans le moelleux.

Le geste suivant pourrait être d'ouvrir la fenêtre, de décrocher les volets, de les pousser, un battant après l'autre. La vue s'élargirait sur la ville en contre-bas, en pente douce jusqu'au lac. L'odeur, très vite, s'éventerait. La lumière dénuderait les draps (le lit a-t-il été refait, depuis ?). La forêt redeviendrait une chambre.

Le dernier geste est de reculer, très doucement. Refermer derrière soi.

26

Le chagrin est moins un état qu'une action. Les heures d'insomnie, puis le sommeil en plomb fondu sur les paupières, la prostration dans le noir, la faim qui distrait la douleur, les larmes qu'on ne sent plus couler : le chagrin est un engagement de tout l'être, et je m'y suis jetée. On me dit de me reprendre, de faire des choses pour me changer les idées. Personne ne comprend que j'agis déjà, tout le temps. Le chagrin est tout ce que je suis capable de *faire*.

Il y en a quarante-sept au total. La première est arrivée moins de vingt-quatre heures après la publication de l'avis de décès. Elle ne portait pas de timbre. C'est la seule que j'aie ouverte, je ne savais pas encore ce que cela faisait. Je l'ai lue, je l'ai déchirée minutieusement et j'ai remis les morceaux dans l'enveloppe. J'ai annoncé à Jacques qu'il se chargerait du courrier désormais. Il a dit que cela ne l'amusait pas plus que moi.

Je refuse d'ouvrir ces lettres. Toutes arborent ce liseré noir. Je les flanque systématiquement dans un carton à chaussures.

La dernière a mis plus de quatre semaines. Celle-là, je ne l'attendais plus, j'avais cessé de me méfier. De force, Jacques m'avait rendu les clés de la boîte aux lettres en disant non sans sarcasme que je ne risquais plus rien.

28

Mon pauvre petit Gratka. Tu la cherches encore. Tu ne comprends pas. Tu tournes autour de mes jambes pour dénicher son odeur, partager ses caresses et ses cachotteries. Tu étais un chiot encore étourdi par le charivari et les douceurs, la vie pleine de gâteries et de découvertes. Jouer avec Louise te changeait des talons hauts et manteau de fourrure qui te promènent habituellement. Ta maîtresse est une gentille dame, tu sais, l'une des rares qui ne baisse pas les yeux quand je la croise.

Je passe une main dans ton poil blanc touffu. Tu grandis à vue d'œil, tu seras bientôt un énorme berger de Podhale.

On ne pouvait pas s'approcher de la boutique de tes maîtres sans que Louise veuille venir voir si tu étais là. Tu lui faisais la fête pour la recevoir. Elle sentait le biscuit et la lessive. Tu passais ta langue rose sur son visage et elle se tordait de rire. Vous rouliez par terre.

Continue à venir me voir, petit Gratka, toi au moins tu ne triches pas, tu n'oublies rien.

29

Mon père a toujours le même regard. Ses yeux se posent sur le monde qui reste monde, ses yeux avec leur bienveillance pastorale, leur mission. Pour lui rien n'a vraiment changé, le mystère de ces choses-là, ses yeux le connaissaient déjà. Ils ont appris à composer avec lui, à renoncer à voir au-delà. Ils vont du texte au ciel et lorsqu'ils passent sur le monde, ils ont cette lumière que filtrent les vitraux dans les églises. Le monde est monde pour les siècles des siècles. Nous ne faisons que passer dans l'éternité. Moi je ne suis plus moi. Je suis tombée dans le temps des hommes, je trempe dans la boue. La boue est dans mes yeux.

Une fois, une seule fois, j'aurai vu le chagrin dans son œil. Pas pour elle mais pour moi. C'était après le rendez-vous chez la fleuriste. Nous nous sommes assis sur un banc près de la cathédrale. J'avais sûrement dépensé trop d'argent avec les roses et les lys blancs. J'ai dit d'ailleurs que j'avais trop dépensé. Quand il s'est tourné vers moi, il avait abandonné son regard coutumier. Il y avait cette souffrance d'animal qui ne sait pas bien pourtant ce qu'est la souffrance. Il ne plaignait pas l'enfant que j'avais été mais la mère que j'étais restée. Un regard de parent à parent.

30

C'est en sortant de la bibliothèque que je croise Mme S. Elle me présente ses condoléances du ton qu'ont les bonnes gens. Elle veut manifestement me réconforter. Quelque sotte cousine doit lui affirmer régulièrement qu'elle seule, Mme S., sait trouver les mots dans les situations douloureuses. À force, elle a fini par s'en convaincre.

Voilà donc qu'elle croise la mère en deuil et que son esprit y voit l'occasion d'employer son don à faire le bien. L'essentiel du discours, je l'ai déjà entendu, excepté sa phrase longuement mûrie, la phrase blette qui s'ignore. « Allez, vous aurez d'autres enfants. »

Comment lui dire que je ne veux pas d'autre enfant que Louise ? Quoi qu'ils fassent, quoi qu'ils deviennent, ils seront toujours un peu Louise et jamais assez. Je n'aurai rien d'autre à leur offrir qu'un lit déjà chauffé, même encore chaud. Je leur donnerai à manger son plat préféré ou celui qu'elle détestait. Je ressortirai les jouets, les habits, le nécessaire qui fut le sien. Je dirai : « Cela appartenait à ta grande sœur, elle est au cimetière maintenant, elle a trois ans à jamais. »

Mme S., vous êtes une bête qui porte son collier de perles comme une laisse. Et l'ignorance vous mène pisser sur le trottoir. Je ne veux pas d'autre enfant.

31

Le premier verre de vin n'a pas effacé la douleur. Le deuxième non plus, autant boire de l'eau bénite ! J'ai quand même vidé la carafe, par précaution, on ne sait jamais. L'ivresse n'est pas venue.

De nombreux soirs, depuis, ont connu leur verre de vin. Lorsque la peine est trop forte, il m'arrive de me tourner vers la bouteille de rhum colonial qui prend la poussière dans le petit meuble du salon. En vain. Jacques me regarde parfois remplir mon verre, puis quitte la pièce sans un mot. Je sais tout ce que porte ce silence. On dit que le début de l'alcoolisme, c'est le verre vidé dans la solitude. C'est peut-être vrai. Demain, je jetterai les bouteilles.

32

Je me suis assise devant la machine à écrire et j'ai tapé frénétiquement sur le « L », donnant de larges baffes au rouleau pour qu'il reprenne sa place. J'ai traité le voisin et sa tondeuse à gazon de décapiteurs de pâquerettes, avant de fermer avec fracas la fenêtre, manquant briser tous les carreaux. J'ai fiché dans la table de la cuisine un couteau qui venait de me peler le pouce entre deux pommes de terre. J'ai jeté au visage de Jacques ses chemises froissées, après avoir marqué au fer ses mouchoirs, comme autant de veaux indociles. Je me suis plainte du manque d'air, des orages d'été, des matinées trop fraîches et des nuages informes. J'ai arraché l'antenne du poste radio pour ne plus entendre le monde et ses mauvaises nouvelles. J'ai fait des miettes de prospectus publicitaires, des confettis d'avis mortuaires, des boulettes de bulletins paroissiaux. J'ai refusé de

perdre au jeu de dames face à mes neveux. J'ai que-
rellé Joséphine au sujet d'une robe qu'elle ne m'avait
pas rendue. J'ai maudit le jour en me levant. J'ai
maudit ce jour-là. J'ai repoussé chaque jour qui
m'en éloignait.

33

Françoise a eu quinze ans samedi. Joséphine, fière comme un pape, a insisté pour que je participe à l'événement. Je n'ai pas su dire non. Après les vol-au-vent et l'indécrottable tourte au moka, nous n'avons pas pu échapper à une balade digestive au bois du Petit-Château. « Il faut sortir cette molle jeunesse » a déclaré Joséphine en accentuant les consonnes. J'ai eu honte pour ma sœur. Pourquoi ne voit-elle pas que sa fille grandit ?

Françoise et ses amies ont traîné la patte tout l'après-midi, grommelant, chuchotant, ricanant bêtement devant le cerf en rut. Leur rayonnante sottise m'a atteinte au cœur. Louise n'aura jamais quinze ans. Joséphine semblait à bout de nerfs et, devant les oies, elle a fondu en larmes : « J'ai retrouvé un paquet de cigarettes sous l'oreiller de Françoise. Elle n'a même pas cherché à me mentir. Elle est insolente, elle n'assiste plus aux repas, elle reste prostrée sur son lit toute la soirée, elle ne répond pas lorsqu'on l'appelle, elle écoute sa musique et chante à tue-tête, pour me narguer. Elle veut la coupe de Sheila, la jupe de Françoise Hardy, une moto, et pis quoi encore ? J'en peux plus, Esther. » Joséphine a reniflé bruyamment. Si elle savait comme je l'envie.

34

Je n'ai jamais aimé vivre trop loin du sol. Quand nous avions visité l'appartement pour la première fois, je m'étais penchée aux fenêtres, laissant tomber mon regard jusqu'à l'asphalte en contrebas, et j'avais pensé, je m'en souviens très nettement, qu'il ne fallait pas habiter ici par temps de grande détresse. Jacques, lui, ne voyait que le luxe de la hauteur, l'investissement, dans un monde rationnel où tout se compte. Je ne lui reproche rien. Qui aura fermé la fenêtre et qui l'aura laissée ouverte ? Le résultat est le même.

35

C'est une petite enveloppe de papier à bon grain. La carte est épaisse, l'écriture à l'encre bleu roi est forte, enjouée, malgré la répétition du geste. Paule a écrit dans la fébrilité de cet instant où elle se croit devenue éternelle. Elle a donné la vie à Ludivine, trois kilos huit, les yeux marron. C'est son premier enfant.

Cette petite lettre sonne comme un renouveau, une vie qui me parvient sur papier épais.

36

La route forme une ligne droite, une trajectoire implacable. Je conduis, Jacques occupe la place du mort, impassible. Il ne remarque pas que j'accélère, pourtant c'est absolument évident, je nous précipite. Je ne le regarde pas, je ne devine pas ses pensées, j'imagine seulement que comme moi il se parle, se raconte des histoires, en modifie sans cesse la fin. Le silence dure depuis notre départ, je le brise en proposant d'ouvrir la fenêtre. Jacques se tourne vers moi, je suis prête à accueillir ses mots mais sa bouche ne s'ouvre pas. Ce mutisme est une fuite, c'est ce que j'affirme en silence. Je continue d'accélérer, j'ouvre la fenêtre. Il dit soudain, mais c'est un murmure, que l'odeur des champs de colza a quelque chose d'insupportable et d'enivrant. J'acquiesce et ralentis. Il me demande où nous allons, je ne sais plus, je veux que le colza soit notre destination. Je crois, à ce moment-là, que Jacques pourra comprendre, qu'il m'accompagnera. Cette pensée m'apaise. Plus loin sur la route qui file droit, j'aperçois le virage. Mes yeux quittent lentement la chaussée pour le ciel. Jacques hurle, se jette sur le volant. Nous évitons de justesse un hérisson. La voiture échoue au milieu des fleurs, nous sommes entrés par effraction. Je m'écroule sur le volant. Au bout de quelques instants, Jacques rit avec moi.

37

Je reconsidère la possibilité d'un instant. C'est le souffle de septembre qui appelle les réminiscences. L'instant s'est déployé entre une promesse et un doux murmure. J'ai regardé la perte dans les yeux, lui ai confié tout ce qu'il y avait à dire, lui ai dit et redit mille fois l'histoire. Une bourrasque presque tendre a éparpillé à mes pieds les serments rompus.

Ne pas avoir cru, dans l'arrogance des créatrices, que la feuille pouvait tomber au printemps. Ne pas avoir su, aux prémices *[feuillet déchiré]*

38

Il n'y a pas moyen d'éviter l'endroit. C'est là, c'est sur la route, au pied de l'immeuble. On ne peut tout de même pas rester enfermé toute sa vie. Au début, je contournais soigneusement. Je savais qu'il ne restait rien de visible. Mais les lieux ont leur mémoire.

J'ai toujours été très sensible aux effets euphorisants du printemps. Petite, déjà, je gazouillais à n'en plus finir dès que les fleurs crevaient doucement la neige. C'est une chose qui m'a manqué, au Rwanda, le printemps. Les nuages qui moussent, bouclés, au-dessus des frondaisons.

Même après la mort de Louise (puisque ce sont bien ces mots-ci qu'il faut apposer sur cet événement-là), le printemps a fonctionné. Et un jour j'ai oublié de contourner. Pire, je me suis même penchée pour observer des tulipes qui perçaient la terre, dans la bande de gazon qui borde le trottoir.

À ce moment-là s'est produit ce dont je ne parviens toujours pas, aujourd'hui, à mesurer le choc : la tache est apparue sur le trottoir. Elle était là, sombre, presque noire, mais teintée de reflets vermeils qui n'autorisaient pas le moindre doute quant à sa nature. Le printemps faisait dégorger le bitume, comme un concombre son eau, comme une viande crue ses impuretés. La ville rendait à mon regard le sang noir de ma fille.

Bien sûr que cela n'existait pas. Je ne pouvais pas poser mes yeux sur la tache, elle disparaissait – comme les étoiles (c'est en Afrique que j'en avais fait pour la première fois l'expérience : les astres qui n'existent qu'en vision périphérique, qui palpitent au coin de votre œil mais s'éteignent sitôt qu'on essaie de les fixer). Le sang de ma fille en étoile sur le trottoir palpitait dans le printemps, les tulipes sans doute en nourrissaient leur bulbe. Le sang de ma fille s'est éteint lorsque, de guerre lasse, je l'ai regardé droit dans les yeux.

39

Elle est dans la cuisine et met la bouilloire sur le feu. Elle ouvre la boîte de thé, prépare le breuvage avec des gestes routiniers. En parallèle, elle épluche les carottes et les patates, surveille le ragoût qui mijote. Normalement, elle s'interromprait pour déguster les sonorités des mots « ragoût », « mijoter », mais elle n'est pas dans cette cuisine, et la beauté fortuite du monde ne l'atteint pas. Son esprit est réfugié très loin et laisse s'accomplir les gestes quotidiens. Si la pensée affleure, elle se rétracte bien vite devant la banalité ambiante, la cuisine, le ménage, la vaisselle, la lessive. Tout prend des proportions gigantesques. Dormir, se laver, se nourrir deviennent des corvées insurmontables. C'est positivement *[inachevé]*

40

Je ne remarque pas tout de suite l'anomalie. J'ouvre la carte d'invitation, un simple bristol adressé de La Chaux-d'Abel, avec une rose blanche peinte à la main et un verset tiré des Corinthiens. « Monsieur et Madame Laurent J. ont le plaisir de convier Monsieur et Madame Jacques Montandon, ainsi que leur fille Louise, au mariage de leur bien-aimé fils Thomas. » Ainsi que leur fille Louise ? J'ai un moment d'hésitation. Laurent serait-il ce missionnaire rentré du Bénin l'année passée, celui qui est venu me voir en septembre pour que je lui parle de mon expérience de l'Afrique ? Il avait débarqué avec la malaria et une sale dentition, je lui avais montré des photos de Kibuye et des rives noires et blanches du lac Kivu...

Leur fille Louise. Je ne saisis toujours pas.

Puis la cuisine s'écroule. Je jette l'invitation au visage de Jacques pour mimer une rage que je n'arrive pas à éprouver. Il me regarde, interloqué. Je lui montre la ligne du doigt, sans rien dire. Comment peuvent-ils ne pas être au courant ? J'éclate en larmes de crocodile, au milieu du courrier sur la table, exagérant mes bruits de déglutition. J'ai mal aux tempes de ne pas pouvoir me vider.

41

Le pain lève sur le rebord de la fenêtre. L'eau bout dans la grande casserole pour le sirop de sureau. La porte du balcon est entrouverte sur le soir, l'attrape-mouche bouge dans la brise, on entend les engoulevents et les voitures. Il s'approche par derrière. Il est encore en peignoir, il sort de la douche. Je sens son bassin se presser dans mon dos, m'obligeant à me cambrer légèrement contre la table de la cuisine. Une main passe autour de ma taille, l'autre effleure ma nuque et déplace quelques mèches de cheveux pour y déposer un baiser. Je soupire. Je sens qu'il durcit contre mes fesses, il respire profondément. Je regarde devant moi, les yeux mi-clos, consciente que les voisins pourraient nous voir. Je commence à le souhaiter, je m'imagine sur le balcon, surprenant un autre couple en contre-bas. Le vertige me gagne, je me laisse aller. Jacques a ouvert sa robe de chambre, il caresse de sa main gauche mes seins à travers le tissu de mon chemisier et de la droite joue avec la boucle de mon pantalon. J'aimerais que nous glissions, sans rien dire, comme avant, sur le sol de la cuisine, contre le mur de la chambre. Je prends sa main et la dirige vers mes cuisses, tourne légèrement ma tête vers la sienne pour chercher ses lèvres. « Refaisons un enfant. » Jacques me chuchote cela au creux de l'oreille. Il a dit « refaire ». J'ouvre grand les yeux. Je me retourne d'un mouvement brusque, je réajuste mon soutien-gorge et descends les escaliers.

42

Le robinet de la cuisine fuit. Pas beaucoup, juste quelques gouttes qui viennent s'écraser dans l'évier. Un tic-tac semblable à celui d'une horloge dont la pile fatigue. Ce matin, l'intervalle était de huit secondes à peu près. Hier après-midi encore, il ne dépassait pas six secondes. Le temps s'épaissit. Il s'écoule au même rythme que l'eau à travers ce robinet bouché par le calcaire.

L'espace, lui, se réduit. Une chambre, une cuisine, une salle de bains. Le salon n'est plus d'aucune utilité, je ne reçois personne. L'extérieur non plus, je n'ai personne à y voir. Mon existence s'en tient à ces murs et prend peu à peu la forme de l'appartement. La masse des tic-tac égrenés par le robinet s'y accumule, écrasante. Si Jacques était là, il le réparerait. Il ne supporte pas le désordre. Mais Jacques est de moins en moins là.

43

La camionnette se gare devant le 6 de la rue
Voltaire peu après midi. Il en sort trois gaillards
serviables et solides. Par cette journée caniculaire,
j'ai attendu une heure au bas de l'immeuble avec
un unique carton. Je n'ai pas voulu descendre les
mains vides. Nous transpirons. « C'est à quel
étage ? » demande le plus costaud. Je leur précise de
faire bien attention au piano, celui de ma grand-
mère. Qu'on ne l'esquinte pas, j'y tiens beaucoup.
C'est au quatrième.

Une partie de ma vie disparaît dans le véhicule :
les habits d'été, les habits d'hiver, les chaussures, le
trousseau, quelques livres, la machine à écrire, on
ne sait jamais. L'autre partie reste ici. Les affaires de
Louise, ses habits, sa chambre. Alice. Le lit, la plu-
part des jouets et des dessins. Je sais que Jacques n'y
touchera pas. Vers 14 heures, le véhicule tourne au

coin de la rue. Je passe un mouchoir sur mon front. J'attends impatiemment la fraîcheur de la vieille maison, loin de la ville. Je ne peux plus continuer à vivre près des tilleuls ensoleillés du cimetière.

44

Personne ne m'avait expliqué le vide au creux des entrailles, le vrombissement dans le cerveau, le tremblement des mains. Qu'on me rende ma fille quelques années, quelques jours. Elle me manque.

45

J'ai suivi durant une heure ce chemin sinueux, pris au hasard parmi tant d'autres. Je l'ai escaladé, dévalé, puis j'ai enjambé un pont, au-dessus des voies. Je suis restée longtemps accoudée sur ce vide, à caresser du regard ces cinq mètres de chute et les trains qui défilaient. Cela aurait été si simple.

Je reprends mon chemin, qui s'enfonce entre les peupliers et les maisons cossues. Le soleil irradie. Sur un mur de pierre recouvert de mousse, des lézards fuient à l'approche de mon ombre. Dans la cour d'une ferme-château, un cèdre immense. Je franchis le petit col et la terre s'abaisse, d'un coup, en révérence face au lac. Il me manque, en dedans, ce qu'il faut pour admirer vraiment.

Le chemin s'est escarpé à la descente. J'ai mal aux genoux, j'ai cent ans. Je me repose sur un banc, un arrêt à l'abri d'un arbre haut et puissant. Je mets du temps à comprendre. Cette odeur qu'il dégage. Me jetant à nouveau dans la pente trop raide, dans la chaleur, j'ai soudain envie de m'immerger tout entière dans le lac en contrebas, de fuir le vide par le plein. M'oublier au fond des eaux.

46

Cette photographie aurait dû être encadrée, ou conservée dans une boîte résistante aux intempéries, au feu. C'est ce qu'il aurait fallu faire. Elle est perdue. Ce qui me glace, c'est l'idée qu'elle n'a pas disparu mais que je l'ai égarée, ou brûlée sans m'en apercevoir au milieu de tous les carnets. Je n'ai pas pu l'oublier là-bas, je n'ai pas pu être si négligente.

Le tout premier cliché, celui de la maternité, où je la tiens serrée contre mon sein. Jacques est derrière l'appareil, ses mains ne tremblent pas. Louise vient au monde et nous figeons son image dans le temps, nous la rendons éternelle. Je me souviens de l'avoir déposée dans le tiroir de mon bureau juste après le développement.

Je ne l'ai ressortie que trois ans plus tard, quand il ne restait que les photos pour affirmer que Louise avait été là, au creux de mes bras, que tout avait bien eu lieu. Jacques avait alors proposé d'aller chez un encadreur. J'avais refusé. Louise ne devait pas survivre ainsi.

J'ai perdu cette photographie. Je renverse les cartons sur le sol, je retourne tout. Mes lettres d'amour viennent se frotter aux ustensiles de cuisine. J'ai la tentation, à nouveau, de tout foutre au feu

47

Yens, le lac qui s'étale. Cinq pièces et demie de planchers en sapin grossier. Cinq pièces et demie de gonds non huilés, d'ampoules épuisées, de tableaux d'artistes côtoyés dans notre jeunesse et de duvets qui semblent avoir pris la dureté de la pierre à force de ne pas servir. Nous avons délaissé cette maison lorsque Louise est venue au monde. Trois années de vigne vierge sur les façades.

Aujourd'hui, ce lieu est pour moi. Loin de m'angoisser, ces pièces asséchées me réconfortent. Les murs, ici, ne suintent ni le chagrin ni le souvenir. Ils s'imprégneront, jour après jour, de nouveaux gestes et de nouvelles habitudes.

Une fois les volets ouverts, un riche flot de lumière se déverse.

48

Plus le temps passe et plus ma fille meurt pour le monde autour. Bien que sa voix chante encore dans ma tête, j'ai moi-même cessé de prononcer son prénom. Je me suis pliée à ce tabou social impérieux : ne pas évoquer l'horreur, le vide, en public. Ne jamais rien dire qui puisse risquer de créer un malaise. En vérité, je m'accommode bien de cette situation. Je ne supporte pas d'entendre quelqu'un d'autre me parler d'elle. Son père n'échappe pas à la règle. Quand il la mentionne, elle qui n'est plus là, elle dont il faut faire le deuil, elle dont le sourire s'épanouit partout aux murs de son bureau, je me demande s'il a vraiment connu sa fille. Alors, je n'en parle plus, ni avec lui ni avec personne d'autre. Seule Agathe arrive encore parfois à l'évoquer sans provoquer mon indignation. Elle sait que ce privilège lui vient des racines anciennes de notre complicité, elle sait ne pas en abuser. Petit à petit, Louise se cache dans un recoin de ma chambre de Yens, derrière des voiles blancs, loin de la vue de tous. Là, elle pourra continuer d'être ma fille.

49

Je tire le tabouret et m'installe face au piano. Cette page blanche a l'avantage d'être déjà noircie de touches régulières. Je sais bien que si je ne commence pas à jouer tout de suite, je me coucherai sans une note, après avoir contemplé longtemps ce large sourire d'ivoire. J'y pose les mains et laisse mes doigts faire, mécaniquement. Ils suivent une lente pulsation intérieure, et alors c'est moi qui me mets à les jouer, m'enivre de leur harmonie, de leurs notes communes. Si mon professeur de piano écoutait, il serait atterré.

Peu importe. Peu m'importe de faire de la musique, de jouer une pièce de répertoire. Seule compte cette résonance entre les planches de bois noir et dans ma boîte crânienne. Une mélodie s'élève. Je ne la joue pas, ni ne la chante. Elle s'élève, c'est tout. Guidé par le balancement, mon corps penche à droite, penche à gauche, tangue de plus en plus dangereusement, ivre d'une tristesse sonore, ivre de vins capiteux. Je fais sonner mon Pleyel comme un piano-bar : fêlures, cassures, chevauchements intrépides et involontaires. Les marteaux frappent les cordes, frappent mes tempes en sueur. L'apaisement qui me gagne enfin se marie étrangement à la nausée causée par ce remugle sonore. Je m'arrête avant de vomir. Longtemps la musique persiste contre mes tympans fatigués. Je pense à Vian et à son pianocktail, aux liqueurs qu'il raffine pour chaque air. Je vide la mienne d'un trait.

50

J'ai suivi la Morges, qui m'a conduite à ce parc où la ville entière semble fêter l'arrivée de l'été. Comme pour enfoncer le clou, un brass band planté au milieu du kiosque joue *Summertime*. Ça grouille de gens heureux et de chiens proprets. Je me sentais moins seule dans les secrets moussus de la rivière que dans cette foule rigolarde qui fait cercle autour des musiciens.

Alors que j'observe le cou gonflé de veines du joueur de tuba, mon cœur se glace. Je ne comprends pas tout de suite ce qui, entré dans mon champ de vision, en est la cause. À deux pas du géant de cuivre, si minuscule par rapport à lui, Louise s'entortille, bat des mains. Elle n'a ni sa tête, ni ses yeux, ni son corps, mais danse exactement comme ma fille lorsque je lui passais un disque. Malgré la maladresse de ses gestes, elle épousait parfaitement le balancement, l'élasticité du swing. Je me répète intérieurement que Louise est morte et, dans le même temps, je la vois qui se redresse et s'accroupit, en rythme, manquant tomber à chaque manœuvre, riant des risques qu'elle prend, de la musique qui suit ses pas. Jusqu'à ce qu'une paire de bras qui auraient pu être les miens la soulèvent du sol, l'arrachent à ma vue. Je reste interdite au milieu des rires et des robes à fleurs, qui n'ont rien remarqué.

51

La nuit est sombre et définitivement silencieuse. Elle semble ne jamais vouloir accepter l'aube. Mon corps est posé là, sur une chaise face à la fenêtre fermée. Je ne vois rien du dehors. Des fragments fusent, s'échappent, se heurtent à la vitre et me reviennent, comme le reflet de ce corps aplati, trop vieux pour mon âge. Ces seins autrefois désirés par la bouche d'une enfant se sont asséchés. Et pourtant je vis. Je dis « je », faute de mieux. Je suis une femme cultivée, c'est ce qu'on dit, une femme insaisissable et cultivée. C'est la culture qui est femme.

La femme, ici, n'a pas sa place dans la solitude. Je vois le regard des gens de Yens. La femme seule, sèche et cultivée. Aucune terre ne sera jamais sèche et cultivée.

Armé de sa bible jungienne, le docteur R. me parle d'un deuil comme d'une mer à traverser.

Il dit que je dois nager lentement si je ne veux pas me noyer. Les psychiatres sont des imbéciles de profession. Le pauvre homme ignore que je ne souffre pas d'un manque, mais d'une ablation. Comment pourrais-je nager sans la moitié de mon corps ? Aucun subterfuge de l'inconscient, aucune dimension totémique, médicale ou alcoolique ne saura me combler, me pousser plus loin. Il n'y a que moi.

Il pose sur moi un regard qui me réduit à des schémas anatomiques. Je ne mange pas les médicaments qu'il me prescrit, je n'écoute pas ses conseils, mais je vais à nos séances pour rythmer ma semaine. Je compte les mois en heures de thérapie. Il me tue. J'en arrive à souhaiter qu'un de ses enfants soit happé par un train. J'ai honte d'avoir de telles pensées. J'aimerais dormir.

52

Certains disent que c'est d'ici, depuis chez moi, que les promeneurs aperçoivent pour la première fois le jet d'eau après avoir traversé le Gros-de-Vaud. Il est vrai que ce cerf-volant aux cent plis, aux cent plateaux penchés comme des tables bancales, dérobe bien souvent le lac au regard, ou tout horizon autre qu'un champ et ses vaches. Le jet d'eau des Genevois n'est ici qu'une virgule au bout du Léman. Sans point final, le Rhône prolonge son discours jusqu'à la mer. On dirait un défaut, la poussière sortie au développement d'une photographie, sur cette brillance bleue du lac qui prend soudain tout l'espace, ici à Yens, ouvre large ses bras énormes, nous hypnotise et nous appelle en son creux. L'attirance est encore plus forte dans la chaleur fixe et la pesanteur de ces journées d'été.

53

Un cycliste est arrêté au début de la route du Moulin. Il doit se demander quel est le chemin le plus plat. Je crie : « Allez-y, c'est très joli là en bas ! » Ma voix le fait sursauter et, suivant cette poussée, son vélo dévale la pente en direction des deux belles côtes qui l'attendent pour rallier Aubonne. Je descends à mon tour et trouve le Boiron aminci par la sécheresse, mais son nom et sa fraîcheur suffisent à me désaltérer, à me redresser comme une fleur sur sa tige. Je trouve la force de suivre le ruisseau dans sa dérupée, long préliminaire à mon saut dans le lac.

Lorsque je touche enfin sa rive, je suis déjà en nage. La plage est déserte, nul regard pour ricocher sur les galets. La chaleur n'est plus tenable. Les fleurs de ma robe s'affalent d'un coup sur les cailloux brûlants, dont j'évite la morsure avec des pas de grue. Juste avant de plonger dans l'eau, une phrase de Camus me traverse l'esprit. « Il me faut être nu et puis plonger dans la mer, encore tout parfumé des essences de la terre, laver celles-ci dans celle-là, et nouer sur ma peau l'étreinte pour laquelle soupirent lèvres à lèvres depuis si longtemps la terre et la mer. »

Cette eau-là n'est pas salée mais elle nettoie bien des plaies. Il y a d'abord la surprise et la délicieuse claque qu'elle me donne. Ma peau se fait vite à la température. Il ne me reste plus qu'à clore les yeux et doucement refermer la surface de l'eau au-dessus de ma tête.

J'aime ce lac, ses algues aux caresses gluantes. J'aime le vert de ses profondeurs et les bêtes inquiétantes qui doivent y ondoyer. Un instant, je souhaite avoir des branchies. Remonter l'évolution à contre-courant et devenir une perche, un triton, une amibe. Je regagne la surface à bout de souffle, accueillie par un coup de tonnerre. De lourds nuages roulent dans ma direction et bientôt la pluie fait voler en éclats le miroir du lac, exauçant mon souhait de rester dans l'eau, de pouvoir y respirer. Et si un éclair tombait à ras d'eau ? Un curieux instinct me dit de rejoindre la rive, mais je ris soudain à l'idée de ma nudité flottant au milieu de tous ces poissons électrocutés. Je fais quelques brasses, entre deux eaux. Puis je replonge, mettant le ciel au défi.

54

Le café d'Agathe est amer. Je le lui ai dit une bonne dizaine de fois, et puis je me suis habituée. Nous ne sommes pas seules dans le salon ce jour-là. Albert est venu installer le tout nouveau poste de télévision. Au départ je n'y tenais pas, la radio me suffisait, le monde extérieur a si peu de prise sur moi. Mais Agathe a insisté. Agathe insiste toujours.

Albert me regarde en coin, avec cet air de gêne et de pitié de ceux qui ne savent plus comment m'aborder. C'est comme si « depuis », je n'étais plus moi mais l'incarnation de son absence à elle. Ces regards-là m'insupportent de plus en plus. Agathe, elle, me parle avec son affection de toujours, ignorant ce cousin qui sue en agitant son tournevis.

Je ne sais trop comment la conversation en arrive à ce souvenir-là. Louise jure par ses grands dieux qu'elle sait lire et récite son histoire préférée en tenant fièrement le livre devant elle, à l'envers. Entendre ma sœur me rappeler ce moment m'emplit soudain d'une vague de tiédeur. L'image de ma fille resurgit devant moi avec une netteté surprenante. Elle est là, dans cette position cocasse, les yeux brillants, et le rire se forme dans le creux de mon ventre, remonte, me réchauffe la gorge puis éclate dans un son cristallin. Albert relève la tête du poste de télévision et me lance un regard d'incompréhension, presque réprobateur. Pense-t-il qu'on n'a plus le droit de rire, même une fois qu'on s'est figée dans la pierre ?

55

J'ai tout préparé, un peu automatiquement. Le bonheur se fabrique, il s'apprend. J'ai sorti le sac à dos, la couverture blanche, le billet de bateau aller simple, les prospectus sur Yvoire trouvés sur un banc. J'ai passé des jeans et une chemise bleue, choisi un chapeau à large bord. Je me suis tressé deux mèches de cheveux que j'ai tirées en arrière et rejointes sur la nuque, nouées avec un ruban jaune. Je suis sortie, marchant jusqu'au lac. Le soleil de midi annulait les ombres.

Sous la vapeur des cheminées du *Lausanne*, une main dans le vide, je bois un gin et je mange des cacahuètes. J'en lance par moments aux mouettes qui nous accompagnent pour la traversée. D'autres arrivent, de toute part, elles semblent flotter au-dessus du pont sans aucun effort, sans battements d'ailes, comme suspendues au joran. Je pense aux grands mobiles en papier de soie de mon enfance, qu'on punaisait aux baldaquins des berceaux. Je crois que mon père en a gardé un ou deux dans le galetas de la maison. C'est ma mère qui les confectionnait. Maintenant, ils sont en plastique et ils ressemblent à des planétariums capitalistes.

À la proue, un groupe de New Orleans fait danser quelques couples à la retraite. Je reconnais d'abord *Dedicated to You*, exécuté un peu trop lentement, puis *On the Sunny Side of the Street*. Je chante le refrain dans ma tête. C'est un gros barbu qui fait les deuxièmes voix, en même temps qu'il joue du washboard. Il ressemble un peu au frère de Jacques. Je leur demande un Duke Ellington et une cigarette. Ils jouent *Mood Indigo* pour moi seule, sur le ponton ensoleillé. Je danse en fermant les yeux, me coulant dans les méandres des clarinettes, la cigarette entre les doigts, sans y toucher.

À Yvoire, je ne descends pas mais je me presse contre le garde-fou. Les entrelacs de ruelles empierrées et les massifs de fleurs, depuis le pont, me donnent l'impression d'être amarrée aux portes du Paradis. Ici, les arbres sont avant tout des lilas des Indes et des plaqueminiers. Il y a de petits fruits orange partout. Le vent emporte mon chapeau.

56

Troisième jour. Il neige sur la lagune et Venise soudain se met à exister. Jusque-là, elle n'était à mes fenêtres qu'une grande grisaille trouble, parcourue de frissons de givre ou de l'appel d'un gondolier désœuvré. Recluse dans ma chambre, je lis ce beau roman que Catherine Colomb vient de faire publier. Sans même parler de notre amitié, c'est le titre de son livre qui m'a interpellée : *Le Temps des anges.*

Ce voyage est improvisé. Un coup de tête, m'a reproché Jacques. Je suis seule, certes, mais l'hôtel ne manque pas de charme. Je retrouve dans la ville, translaté sur les eaux, et sans être en mesure de pointer exactement ce qui m'y ramène, quelque chose de La Chaux-de-Fonds de mon enfance. Jacques dirait que ma tristesse me joue des tours. Il n'a pas compris que ma tristesse n'existait pas en dehors de moi, et que ce que ma tristesse dit, ce qu'elle fait, c'est ce que je dis et fais. Si elle veut que Venise ressemble à La Chaux-de-Fonds, soit. N'en déplaise à Jacques, ma tristesse a tous les droits.

Mais ici d'autres choses la recouvrent comme un léger tulle. J'ai parlé un peu avec les employées de maison. Faire rouler les palabres italiennes me demande un effort qui m'enchante. Parler une autre langue, c'est jouer à devenir quelqu'un d'autre. Même ma voix change, en italien. Elle perd cette gravité qui fait qu'on me prend parfois, au téléphone, pour un homme. En italien, je chante plus haut.

La neige n'a toujours pas cessé mais je sors. Les façades claires, les canaux gris, les places désertes crépitent sous l'attaque des flocons, comme un poste de télévision mal réglé. Les rares passants se serrent sous des parapluies dérisoires. Bien à l'abri sous mon capuchon de fourrure, je ris en me tenant aux vieux murs pour ne pas glisser.

À mon retour à l'hôtel, je ne sais plus les rues, les ponts que j'ai traversés. On s'empresse de m'offrir une *cioccolata calda*. Mes joues piquent, et je me dis que Louise aurait aimé ça, Venise en hiver.

57

C'est à La Chaux-de-Fonds. Pourtant, la maison ne ressemble en rien à celle de mon enfance. Les pièces immenses me happent, les meubles sont surdimensionnés, les tapis épais et ardents. Je sais ce qu'il ne faut pas toucher, je sais ce qui est dangereux. J'anticipe tout. Je flotte d'une pièce à l'autre, il n'y a pas de portes, juste des espaces. J'arrive dans le salon. Ma mère, qui n'est pas ma mère, s'y tient très droite. Autour d'elle tournoient des objets, qu'elle déplace à volonté. Je me retrouve parmi eux, elle me lance à travers la pièce. Alors vient l'angoisse, les murs de béton dur et froid se rapprochent à toute vitesse, les chocs se succèdent. Tous mes os se cassent, la douleur m'aveugle, je hurle, mon corps se tord, je veux ouvrir les yeux mais mes paupières sont collées. Une atroce brûlure dans le bas-ventre, je me redresse dans les draps trempés de sueur. La chambre est plongée dans le noir. Le visage de ma mère, qui n'est toujours pas ma mère, s'estompe lentement. L'impression qu'il me manque quelque chose. Je touche chaque partie de mon corps, mes coudes, mon torse, mes genoux, mes orteils. Tout est là, tout existe, compact et tremblant. Il ne me manque rien.

58

Le train quitte lentement la gare centrale puis prend son élan à travers les faubourgs de Vienne. L'accélération me saisit à la gorge. J'ai déjà tout oublié de la ville. Je ne sais plus si j'ai visité des musées, je ne sais plus rien des rues, des cafés où je me suis reposée. Je ne sais pas si j'ai lu. Je n'ai pas écrit.

Il est assis en face de moi. Il a voulu m'aider à monter ma valise. J'ai dit merci, ça va. Il n'a pas insisté. Je regarde défiler la banlieue, Vienne devenir percussions de couleurs à ma fenêtre. Nous ne passons pas le Danube. Je m'y attends mais cela ne vient pas, nous prenons plus au sud. Jacques saurait ces choses-là. Il aurait sorti une carte de sa mallette et m'aurait indiqué le tracé des voies. Jacques n'est pas là. Je suis seule dans ce train comme je l'étais au départ de Lausanne, seule à Venise et à Trieste, seule dans mes pérégrinations absurdes.

Je crois que c'est lui qui m'a adressé la parole. L'homme en face de moi. Quelques mots qui ont traversé le compartiment, que j'aurais pu feindre de ne pas entendre mais que j'ai choisi de saisir au vol. Il s'appelle T., il est allemand et je ne vois pas encore qu'il est séduisant. Nous parlons d'abord dans sa langue puis il ose timidement quelques mots de français. Il a séjourné à Paris, s'y rend encore souvent pour le travail. Il habite Francfort. Je ne crois pas qu'il mentionne son épouse mais j'ai remarqué le mince anneau d'or à son doigt.

T. va lui aussi à Munich. Nous discutons durant tout le trajet. Cinq heures, six heures, je ne sais plus. Il me raconte la fois où il a vu Sartre au bar du Lutetia, je lui parle de Vian, il ne connaît pas Jaccottet, ni Catherine, ni personne. Lui aussi a connu Berlin avant la guerre. Nous parlons de ces lieux qui désormais sont inaccessibles, coupés par un mur poussé en une nuit comme les murailles de ronces dans les contes. Nous imaginons que nous nous sommes peut-être croisés, un après-midi au bord de la Spree, un soir sur Unter den Linden. Nous savons tous les deux que les chances sont ténues et qu'il n'y aurait aucun moyen de vérifier. Cela n'a pas d'importance.

À Munich, nous sommes passés directement du compartiment du train à la chambre d'hôtel. Parmi les choses oubliées, il y avait mon corps. Me déshabiller ne m'a embarrassée à aucun moment. Que pouvait-il bien rester à mettre à nu ? L'essentiel se tenait en boule dure sous mon crâne et sous ma poitrine, à l'abri. T. m'a rendu le tracé de mon visage. Il a caressé mes clavicules, de l'intérieur vers l'extérieur. Il m'a indiqué le contour de mes hanches abîmées. Il a ouvert des voies tactiles entre mon ventre et mes cuisses. Je ne sais plus si je l'ai touché. La panique m'a prise à la gorge lorsqu'il a approché sa bouche de mes seins. Je ne pouvais pas, pas ça.

Je me souviens de son corps. Il ne ressemblait pas à Jacques.

59

Au premier plan, un paysan manœuvre le soc d'une charrue tirée par un cheval alezan. La terre est rendue en nuances de brun, le relief en est lissé, le peintre ne s'y est manifestement pas attardé. Les plantes et les arbres, en revanche, sont détaillés jusqu'aux minuscules feuilles presque noires. En contrebas de la colline où le paysan laboure son champ, un berger appuyé sur son bâton regarde le ciel. Autour de lui paissent des moutons. Deux sont noirs. Un chien veille. Dans le coin en bas à droite du tableau, un troisième personnage, accroupi, lance quelque chose dans l'eau. Une ligne, un hameçon peut-être.

Le reste du panneau est couvert de mer et de ciel. Une ville au loin, blanche et rose, portuaire, antique. Des rochers dans l'eau, des bancs de sable et un navire aux voiles largement déployées. Du milieu de la mer semble pulser un cœur de lumière, alors que le soleil, tout au fond, plonge sous la ligne de flottaison. Peut-être aussi qu'il se lève. Moi je crois qu'il plonge. Au ciel, la lumière est un dôme renversé qui éclabousse toute la scène, la mer et les montagnes, la ville et les hommes.

Je recule d'un pas. Je m'apprête à poursuivre ma visite. Quelque chose me retient. Je scrute encore les formes, les espaces, les couleurs, tout ce que l'huile trace et laque. Et puis ça m'assèche : dans l'eau, près du navire, à trois brasses du rivage, deux jambes s'agitent dans l'écume. Le cheval ni les moutons, le laboureur, le berger ni le pêcheur ne le remarquent. Un homme est tombé, un homme meurt. Personne ne le remarque.

Je suis à Bruxelles, dans l'une des salles des Musées royaux des Beaux-Arts de Belgique. Le tableau est de Brueghel l'Ancien. *La Chute d'Icare*, 1558, dit la notice. Il s'agit d'une copie. L'original a disparu.

60

Avec le temps, peut-être, j'obtiendrai une petite victoire contre ce 3 avril qui a taché, comme une perle d'encre s'écrasant sur un buvard, toutes les autres dates de mon calendrier. Ce 2 août où tu m'as dit maman pour la première fois. Ce 8 mai où tu m'as offert pour mon anniversaire un dessin de la famille – je dépassais Jacques de deux bonnes têtes. Ce 14 décembre sans neige, l'année de tes deux ans, qui a commencé par un effroi terrible – j'ai cru, pendant quelques minutes, qu'on t'avait enlevée dans la foule du marché de Noël à Saint-François – mais s'est terminé par des chatouilles et des rires interminables dans le lit. Ta première dent de lait. Le jour où tu as mangé un litchi. La nuit sous les étoiles au Creux du Van. Et puis aujourd'hui, ce 4 octobre.

Ces dates anniversaires me sont insupportables. Elles ne célèbrent plus que ton absence. Avec hargne, avec défi, ou dans ce calme qui ressemble à la lassitude, je déchire chaque matin un feuillet du calendrier. Avec le temps, peut-être, je trouverai le moyen de rendre à la joie le jour de ta naissance.

61

Je ne m'implique plus. J'accomplis les gestes que la vie me demande mais sans y croire. Il m'est égal que l'omelette soit trop cuite, je la mangerai quand même. Je ne me soucie plus de ne pas verser l'eau hors du bac des géraniums, cela ne les empêchera pas de boire et, si un passant vient à prendre de l'eau sur la tête, il séchera. Pour certains, le soleil existe encore. Pour certains, il y a des règles de voisinage à respecter. Pour certains, les œufs ont encore une consistance précise, désirable.

Je ne m'étais pas rendu compte de ces automatismes, de ces réflexes de fantôme qui connaît encore la vie mais ne sait s'en défaire. Je dis bonjour aux gens que je croise et j'écoute leurs histoires. Je réponds lorsqu'on m'adresse la parole. Et je suis même drôle parfois, sans que cela soit volontaire. Je ne me sens guère concernée, j'ai arrêté la lecture des journaux. Je me suffis à moi-même, d'une certaine manière.

C'est à la façon d'une libellule qui frôle les eaux dormantes que je me déplace dans le quotidien. Je reste à la surface des choses pour ne pas souffrir, je ne m'approche de rien, comme si la langue des grenouilles menaçait de me happer. Je me contente de rester irréprochable : mes devoirs sont faits, mon ton est mesuré, j'évite les jurons, le vin et les sentiments extrêmes. Je me réserve le droit à la solitude. Ce cocon lointain, ce refus de l'emprise des contingences, au moins, n'a rien de désagréable.

62

Le nombril, c'est le centre de l'être humain. C'est aussi une jonction, le lien avec la mère, le lien coupé, mais bien visible, qui existe à travers ce petit vide, ce petit point, aux formes multiples.

En observant mon reflet nu dans le miroir, j'ai remarqué que je ne me souvenais plus du nombril de Louise. Je sais que ce n'était pas une protubérance, mais je ne me souviens plus de sa forme. Était-il creusé, rond, en demi-lune ? Était-il mince et discret, vertical ou ovale ?

Louise, je vois ses mains, je vois des détails de son corps, éclatants, je vois la forme de ses oreilles, je vois ses avant-bras, je vois chaque détail de ses joues. Mais je ne vois pas son nombril. Est-ce que tout s'effacera, comme cela, discrètement ? Est-ce qu'elle disparaîtra, peu à peu ? Oublierai-je même le son de sa voix ? Pour le nez et les yeux, il y a des photographies. Mais comment ferai-je pour sa voix ou pour la texture de sa peau ? Comment ferai-je pour me souvenir de toutes les odeurs, de celle du nouveau-né et de la petite fille qui joue dans la boue, de celles de Louise malade ou sortant du bain ? Comment me souviendrai-je de ses mouvements, du son feutré de ses pas montant les escaliers, de ses bras qui se balancent au rythme d'une musique écoutée mille fois, de ses genoux écorchés ?

J'ai oublié le nombril de Louise. Et j'oublierai Louise. Je ne garderai d'elle que les souvenirs que ma vieille mémoire refusera d'effacer, ces quelques feuillets désordonnés. Je me raccrocherai à eux comme à un rocher suspendu au-dessus du vide. Et je saurai, tout au fond de moi, que ce n'est plus Louise. Que Louise est partie, peu à peu, à pas de loup, comme elle savait si bien le faire.

63

Je vois cet homme (pourquoi un homme?), debout devant une fenêtre, à contre-jour. Il tient un livre dans ses mains jointes en coupelle. Ce n'est pas une Bible, même si l'homme pourrait être pasteur. Je crois que ce sont des poèmes. Le livre est ouvert mais l'homme regarde par la fenêtre, se perd dans un hiver grandiloquent. Les tas de neige qui engloutissent les enfants, les froidures montagnardes, le Doubs lisse et noir, j'y reviens toujours. Mais qui est cet homme? À qui pense-t-il? Il a une fille. Elle est adulte, elle vit mariée à Neuchâtel, ou ici, à Lausanne. Elle est écrivain et, chaque fois qu'il reçoit l'un de ses ouvrages, il peine à en découper les pages, tant ses mains tremblent.

Depuis quelque temps, les images m'assaillent. Je ne peux me défaire de cet homme, de cet hiver. Cela pourrait donner quelque chose, un bref texte,

à l'intrigue ténue mais dont l'intensité irait crois-
sant. Il s'agirait moins de scènes que de tableaux.
La lumière serait primordiale. Il faudrait savoir rester douce. Peut-être est-il temps de me remettre au
roman. Cela n'engage à rien d'en caresser l'idée.

La fiction n'est pas le contraire du réel

« Est-ce que c'est *vrai* ? Est-ce que c'est *réellement* arrivé ? Est-ce que cela *vous* est arrivé ? » : autant de questions auxquelles s'expose quiconque écrit. Dans le cas du roman, et a fortiori du récit littéraire, bon nombre de lectrices et lecteurs cherchent à distinguer ce qui relève, au sein du texte, du vécu et de l'imaginaire.

On questionne moins fréquemment, en revanche, l'existence même de l'auteur-e. *Vivre près des tilleuls* est le premier roman de notre collectif, l'AJAR – Association de jeunes auteur-e-s romandes et romands. Il a été écrit par quinze, seize, dix-huit personnes. Esther Montandon est aussi fictive que ses carnets.

Fragments de la vie d'une femme, *Vivre près des tilleuls* est peut-être en même temps une déclaration d'amour à la littérature. Alors que le débat sur les frontières – poreuses – entre le réel et la fiction continue d'occuper l'espace littéraire, ce livre, tout en empruntant la forme de notes qui jalonnent un cheminement personnel, se revendique comme une totale fiction.

Devions-nous pour autant nous emparer du plus sensible et périlleux des sujets, l'expérience intime de la mort d'une enfant ? Cette question, nous nous la sommes aussi posée. Après. Nous avons d'abord dessiné la vie d'Esther Montandon.

Une vie qui commence le 8 mai 1923, à La Chaux-de-Fonds. Un mardi d'une chaleur étonnante. Ce soir-là, on joue au théâtre Scala *Une sacrée petite blonde* de Pierre Wolff et André Birabeau, alors qu'à la patinoire municipale, Jim Fred, le roi des patineurs, exécute son fameux saut de la mort. À cette époque, une boîte de thé Béguin coûte 1 franc 80, les robes de crêpe de Chine 39 francs pièce, le billet de loterie, comme l'entrée aux bains publics, un franc, tout rond.

Et puis, à quarante ans, devenue mère, Esther Montandon affronte l'impensable. Ce deuil était, pour nous, l'un des seuls événements capables de briser son parcours d'écrivaine – et de ménager, ainsi, une place pour ces fragments. Le très grand respect qui a entouré l'invention de cette femme s'est prolongé au moment de la rédaction de ses carnets. Ce n'est que dans un second temps que s'est manifestée notre peur de blesser celles et ceux qui ont affronté une telle épreuve.

Esther Montandon nous a permis d'éprouver qu'un récit peut exister hors de l'expérience vécue et vérifiable. Ce sujet nous était doublement étranger : nous ne connaissions pas l'époque dans laquelle se situait l'histoire et personne, parmi nous, n'avait perdu d'enfant. Ensemble, nous avons pu déployer nos intuitions, convoquer nos lectures, nos émotions, inventer notre personnage, mettre au pas une écriture.

Cela a eu lieu un soir d'été, à la campagne. Nous nous étions donné rendez-vous pour écrire un roman en une nuit ; l'idée nous amusait et nous effrayait. Une auteure allait prendre vie sous nos yeux. Nous avons établi une liste de thèmes que nous nous sommes répartis pour rédiger une première série de courts chapitres. L'atmosphère avait changé. Nos ordinateurs ouverts devant nous, un silence s'est installé, concentré, ému, que nous n'avions pas prévu. Nous étions là, dans cette nuit de grillons et de rhum, et nous étions tranquilles : Esther n'allait pas tarder à arriver.

Mais Esther Montandon, personnage de roman, narratrice-auteure, libre et vivante, ne pouvait exister, advenir, sans être invoquée. Plusieurs mois plus tôt, l'un ou l'une d'entre nous avait dit : il faut lui trouver un nom. Pour se lancer, avoir moins peur de tout ce qu'il restait à faire. Quelque chose d'humble et de fort, de rugueux et de tendre. Pas de Marie, Julie, Eugénie, Virginie, Noémie, Aurélie. Les prénoms en *a* avaient été envisagés pour leur détermination et leur volupté. Nous avions aussi pensé à Rachel, Manon, Fabienne, Mireille, mais ça n'accrochait pas, nos histoires glissaient dessus. Qui a dit Esther ? Impossible de le savoir. C'était Esther, ça l'avait toujours été. Ça commençait avec le prénom : nous n'inventions rien, nous découvrions. Produite par tant de voix, elle s'est rapidement affranchie de toute autorité.

Oui, nous avons mené cette aventure avec sérieux, travaillant avec acharnement à la justesse du texte, l'asséchant sans relâche, traquant toute complaisance. Au début, tout le monde y allait de son commentaire sur la mort, tout le monde prouvait le caractère définitif de son sentiment. C'était répétitif et lourd. Nous avions huilé ce qui devait être sec, poli ce qui devait être tranchant. Alors, au moment de la réécriture, nous avons développé une technique de coupe systématique que nous appliquions sans scrupule : la fin du fragment, clac, les allusions au deuil, au revoir, les Louise à chaque bout de ligne, terminé. La tension était telle que nous avons fini par rire du fait que nous intervenions si franchement, si brutalement.

Il faut se représenter un mélange de chance inouïe, d'enchaînements improbables et d'absolue nécessité. Comme dans une chaîne de montage, nous n'avions jamais une vue de l'ensemble du processus. Nous curions, chacun, chacune, les dents d'un petit rouage, indéfiniment, avec juste la conscience que d'autres accomplissaient différentes tâches, en amont, en aval. Personne ne supervisait les travaux. Parfois, nous essayions d'imaginer à quoi allait ressembler l'objet. Nous faisions confiance, nous agissions, nous laissions notre esprit voguer. En dehors des grandes lignes, le plan nous échappait. Quand on pense aujourd'hui à Esther, toutes les décisions, prises dans le désordre, l'urgence et la joie, se teintent d'évidence.

Et de fait, elle existe. À tel point que le collectif aurait pu signer *Vivre près des tilleuls* du nom d'Esther Montandon, pour parfaire le canular avant sa publication. Mais il ne s'agit plus de canular, il

n'est pas question ici d'une falsification qui cherche-
rait à passer inaperçue. L'AJAR avance à découvert.

Nous avons pris conscience qu'un récit, pour
s'incarner, n'a pas toujours besoin d'être en adéqua-
tion avec le vécu. Que les mots ne sont pas nécessai-
rement un redoublement du monde, mais qu'ils
peuvent devenir la condition de son surgissement.
Qu'une femme qui n'a jamais existé peut être
l'auteure d'un livre qu'elle n'a pas écrit.

Esther Montandon nous a appris que la littérature, libérée de son prédicat le plus tenace – tu
écriras seul –, garde un pouvoir qui nous dépasse.
En réalisant ce qu'un autre a nommé « la plus vieille
tentation prométhéenne » de l'être humain, « celle
de la multiplicité », en assouvissant sa fringale de
création, l'AJAR – c'est-à-dire l'infiniment plus que
moi, le tellement plus que nous – a étouffé toute
tentative de résistance individuelle. Elle a pris sur
elle le fardeau de l'angoisse. Et c'est cela aussi
qu'Esther nous a permis de comprendre : la fiction
n'est absolument pas le contraire du réel.

L'AJAR – Association de jeunes auteur-e-s romandes et romands – est un collectif créé en janvier 2012. Ses membres partagent un même désir : celui d'explorer les potentialités de la création littéraire en groupe. Les activités de l'AJAR se situent sur la scène, le papier ou l'écran. *Vivre près des tilleuls* est son premier roman. Son site : www.jeunesauteurs.ch

Imprimé en France par CPI
en mai 2016

Cet ouvrage a été mis en page par IGS-CP
à L'Isle-d'Espagnac (16)

Dépôt légal : août 2016
N° d'édition : L.01ELJN000763.N001
N° d'impression : 134820